GAUDI

Editorial Escudo de Oro, S.A.

(Foto: Branguli).

Primer plano de la cascada de la Ciudadela.

UN ARQUITECTO GENIAL

Nacido el 25 de junio de 1852 en Reus, Antonio Gaudí Cornet está justamente considerado como uno de los más grandes arquitectos de los dos últimos siglos. Descendía de una familia de modesta extracción social. Su padre, su abuelo y su bisabuelo habían sido caldereros. Cursó estudios de segunda enseñanza en los Escolapios de Reus y en 1870 ingresó en la Escuela de Arquitectura de Barcelona.

Gaudí era un hombre de apasionado temperamento y estaba dotado con una inteligencia poco común. Estas dos características, unidas al hecho de haber nacido en Reus en el seno de una familia de caldereros, influyeron de modo decisivo tanto en su vida como en su obra. Como dice el arquitecto Salvador Tarragó, Gaudí «siempre consideró fundamental su ascendencia familiar de hombres caldereros, reivindicándola a menudo como su principal fuente para ver los cuerpos directamente en el espacio y resolver en él sus problemas, sin necesitar la ayuda de la representación gráfica sobre el plano».

Entre 1876 y 1878, Gaudí realiza trabajos

con los arquitectos Villar, Sala y Martorell, así como con el Maestro de Obras Fontseré. El 4 de enero de 1878 termina la carrera de arquitectura y el 15 de marzo del mismo año obtiene el título de arquitecto, abriendo un despacho en la barcelonesa calle Call. Es el año en que manda a París, donde se celebra la Exposición Internacional, el proyecto de la Cooperativa Mataronense.

El año 1883 lleva a cabo un viaje a Banyuls, Elna y Carcasona y se hace cargo de la realización del proyecto del templo de la Sagrada Familia.

Entre 1890 y 1894 se desplaza a Andalucía, León y Astorga, ciudades éstas en las que había de dejar una profunda huella arquitectónica.

El 3 de septiembre de 1901 obtenía el Premio del Ayuntamiento para la Casa Calvet.

En 1904, Gaudí estuvo en Palma de Mallorca, ciudad a la que volvió en 1914. El año 1910 Gaudí obtiene un gran éxito con su exposición en la Société Générale des Beaux Arts de París. Al año siguiente enferma de gravedad, al contraer unas fiebres y recibe el viático en Puigcerdá.

Todo el año de 1914 lo dedicará exclusivamente a trabajar en su ambicioso proyecto de la Sagrada Familia.

El 7 de junio de 1926, Gaudí es atropellado por un tranvía y muere tres días más tarde en Barcelona.

Una de las farolas de Gaudí de la Plaza Real.

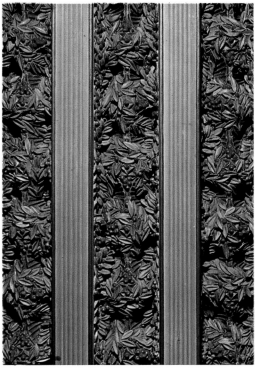

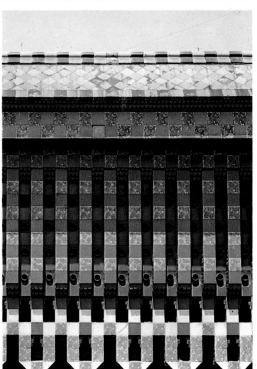

Tres detalles de la decoración de la Casa Vicens.

MONUMENTOS GAUDIANOS

La importancia de la obra arquitectónica de Gaudí ha adquirido desde su muerte rango universal. El gran arquitecto catalán es autor de numerosos edificios considerados como verdaderas obras maestras y que abarcan desde la Casa Vicens — situada en la calle Carolinas, en el popular barrio barcelonés de Gracia—, decorada con gracia y fantasía singulares, hasta las construcciones del Parc Güell, pasando por la Sagrada Familia, el Palacio Güell, la Pedrera o el Palacio Episcopal de Astorga.

Un aspecto de la Casa Vicens. ▷

Puerta de salida al jardín desde el pequeño salón del fumador y dos detalles de la decoración del comedor de la Casa Vicens, situada en la calle Carolinas.

Entrada de la casa construida para Máximo Díaz de Quijano, conocida popularmente como "El Capricho", en Comillas (Santander).

Puerta y caballerizas de los Pabellones Güell.

Fragmento de la puerta de entrada de los Pabellones Güell. 〉

Entre los monumentos gaudianos destaca, en primer lugar, el Templo de la Sagrada Familia de Barcelona.
Es una de las obras más famosas de Gaudí. Gaudí inició la construcción del Templo de la Sagrada Familia en 1884 y lo dejó inacabado al morir en 1926.

La cripta, el ábside y la Fachada del Nacimiento fueron edificadas bajo la dirección de Gaudí. En 1952 se inició la construcción de la Fachada de la Pasión bajo la dirección de sus colaboradores Domènec Sugrañes, Francesc Quintana e Isidre Puig i Boada.

Vista general del Colegio Teresiano.

Cancela de hierro forjado del Colegio Teresiano. ▷

Gaudí, refiriéndose a la Sagrada Familia, dijo que no era la última de las catedrales, sino la primera de una nueva serie. Se trata de un templo expiatorio a cuya edificación dedicó el genial arquitecto gran parte de su vida. La parte más apreciada de la obra gaudiniana es la Fachada del Nacimiento, que consta de cuatro torres de singular silueta y ostenta una gran riqueza ornamental con esculturas que simbolizan la Navidad y otros pasajes de la vida de Jesucristo. Las torres gaudinianas, que constituyen una de las imágenes gráficas de Barcelona más divulgadas internacionalmente, son de estructura helicoidal, con escaleras de caracol. Constituyen la última obra hecha por Gaudí.

Las torres de la Sagrada Familia tienen 100 m de altura y dominan aún en la ac-

Un aspecto del Palau Güell (Museo del Teatro).

tualidad, cuando en Barcelona se han edificado edificios de considerable altura, el panorama urbano barcelonés.

El Templo de la Sagrada Familia constituye una de las visitas obligadas de los miles y miles de turistas que anualmente llegan a Barcelona.

El Templo estaba destinado a convertirse en un centro propulsor de la fe católica y la Asociación Espiritual de Devotos de San José, propietaria de la Sagrada Familia, fue especialmente ayudada desde el principio por León XIII, con indulgencias, bendiciones e incluso con las devoluciones anuales de la mitad de lo recogido por dicha Asociación en el mundo y pagado al Vaticano, a fin de impulsar las obras del Templo expiatorio.

La Sagrada Familia fue definida en 1900 por el poeta Joan Maragall como la «Catedral dels pobres», convirtiéndose en 1905 en la «Nova Catedral» de la «Gran Barcelona».

A la izquierda del Templo está la llamada puerta de la Esperanza, que aparece coronada por el anagrama de María y está decorada con escenas de la Sagrada Familia. En la parte superior de la puerta de la Esperanza hay una roca de la montaña de Montserrat.

En el centro del Templo se abre la puerta de la Caridad, exornada con numerosas plantas esculpidas, simbolizando un canto de amor al Supremo Hacedor. El parteluz exhibe el árbol genealógico de Jesús. Varias escenas alusivas a la Virgen ornan la puerta.

Vista de conjunto de la azotea del Palau Güell desde la calle Nou de la Rambla.

Cúpula del vestíbulo con las ventanas del piso de los dormitorios en la parte baja.

Escalera y lámpara
de uso litúrgico,
siglo XX.
Catedral de
Mallorca.

Catedral de
Mallorca.
Baldaquino -
Campanario.

Dos detalles de las terminales de las torres de la Sagrada Familia.

Otro de los monumentos gaudianos que merecen ser destacados es el Palacio Episcopal de Astorga.

Se inició la construcción por encargo del obispo don Juan Bautista Grau Vallespinós, amigo y coterráneo de Gaudí, el año 1887 y las obras fueron interrumpidas al morir el prelado el año 1894. No es obra de Gaudí más que parcialmente. El edificio fue terminado en 1915 por el arquitecto Guereta, que no se ajustó al proyecto arquitectónico de Gaudí.

El palacio es en la actualidad sede del Museo del Camino de Santiago.

Merece asimismo especial mención la Casa de los Botines, que está ubicada en la capital leonesa.

Fue construida por Gaudí entre 1891 y 1894 por encargo de los señores Fernández-Andrés, comerciantes de tejidos establecidos en León. Esta mansión de grandes dimensiones se alza en el centro de la capital leonesa. La planta baja y los sótanos fueron concebidos por el arquitecto reusense para almacén de tejidos, la planta noble para residencia de los propietarios y los restantes pisos del inmueble para viviendas de alquiler.

Las sobrias líneas que caracterizan las fachadas de la Casa de los Botines —construida en piedra— constituyen una estampa de recia originalidad dentro del contexto urbano de la ciudad. La fachada principal ostenta torreones en las esquinas y luce interesantes rejas.

Las famosas torres del Templo Expiatorio de la Sagrada Familia. ⟩

Detalle del grupo escultórico que simboliza la Degollación de los Inocentes.

Monumento digno de destacar dentro de la arquitectura gaudiana es la sugestiva Casa de Figueras.

Obra realizada por Gaudí entre 1900 y 1902, esta casa —también denominada «Bellesguard»— está situada en una ladera del Tibidabo desde la que se divisa una hermosa y dilatada panorámica de Barcelona extendiéndose desde la montaña al mar. En este mismo privilegiado emplazamiento hubo antaño una mansión de recreo construida por el rey Martín I el Humano.

Gaudí aprovechó los restos que quedaban de la mansión real para construir el vestíbulo de entrada a la finca. La Casa de Figueras es una pequeña y elegante construcción armónicamente integrada en el bello paisaje del Tibidabo. Las piedras de tonos verdes y grises de la mansión proceden del mismo lugar donde está emplazada y se adaptan cromáticamente al verde que predomina en el paraje que la rodea.

La casa luce en el interior unos techos en los que se conjugan arcos y bóvedas de ladrillo. Cada estancia exhibe un techo de forma distinta. El más interesante es el que cubre el desván considerado por los técnicos en arquitectura como «uno de los espacios más logrados» de la genial obra gaudiana. Son asimismo muy interesantes los hierros forjados —lanzas alineadas— que hay en la entrada de la finca, el hermoso patio de la escalera de acceso a la mansión y las rejas también de hierro forjado de las ventanas que se abren en la planta baja.

La Casa de Figueras es una de las pequeñas joyas arquitectónicas de Gaudí.

El grupo de la Sagrada Familia (escultura de J. Busquets). ▷

Terminales de los campanarios de la fachada de la Pasión, construidos por los sucesores de Gaudí.

Diversos aspectos de la Sagrada Familia. ▷

El portal de la Caridad de la fachada del Nacimiento representa un gran ciprés (la iglesia) en donde las aves (los fieles) se recogen.

Caracoles en la agujas.

Interior de un campanario. ▷

Escalera de las torres de la Fachada del Nacimiento de la Sagrada Familia.

Conjunto de la fachada de la Pasión. Estado actual.

Esculturas Josep M. Subirachs.

Fachada del Palacio Episcopal de Astorga.

La Casa Calvet figura entre los monumentos de la arquitectura civil gaudiana más interesantes.

Este característico edificio gaudiano fue construido entre 1898 y 1904. Es una típica casa burguesa de la Barcelona del Ensanche hecha para don Pedro M. Calvet, un fabricante de tejidos de Barcelona.

En las dos fachadas está presente el inconfundible estilo arquitectónico de Gaudí, en esta ocasión inclinándose hacia el barroco, en vez de hacerlo hacia el gótico como en otras obras suyas. Capítulo muy importante en la Casa Calvet es el mobiliario diseñado por Gaudí. El de la planta baja es de roble y el del piso aparece tapizado.

Los muebles están adornados con motivos de inspiración naturalista.

Un aspecto del interior del Palacio.

Plaza de San Marcelo, con la Casa de los Botines al fondo.

Otra de las muestras más características de la arquitectura civil de Gaudí es la llamada Casa Batlló. Está situada en el Paseo de Gracia de Barcelona, al lado de la Casa Amatller, obra de Puig i Cadafalch. Gaudí llevó a cabo la reforma del antiguo edificio por encargo de los Batlló, acaudalada familia de fabricantes de tejidos. Empezó las obras el año 1904 y las concluyó dos años más tarde. Por esta época Gaudí se encuentra en un momento creador óptimo. Su original estilo se ha impuesto ya y ha sido reconocido como un arquitecto de genio, alcanzando una popularidad sin parangón en la época.

La capacidad creadora de Gaudí se pone de relieve no sólo en la obra arquitectónica que lleva a cabo en la reforma de la Casa Batlló, sino también en el diseño de los muebles. Los del comedor quedarán como una muestra importante de la sensibilidad plástica de Gaudí. Al haber desaparecido esta estancia de la Casa Batlló, los muebles forman parte del fondo de la Casa-Museo Gaudí del Parc Güell.

Son muy interesantes la cerámica vidriada de tonalidad azulada que recubre las paredes interiores de la Casa Batlló y el estupendo patio de la escalera, así como los muebles que se conservan de los diseñados por Gaudí para el piso principal.

Especial mención merecen el desván y la azotea que pertenecen al conjunto de reformas hechas por Gaudí en el antiguo edificio, con sus originales decoraciones. Llaman poderosamente la atención el dragón que alza su recio espinazo de escamas entre una torre y una cruz de cinco brazos, en la fachada que da al Paseo de Gracia. La tribuna del piso principal es puramente gaudiana y resulta de gran belleza plástica.

La Casa Milá es posiblemente la obra más lograda y original de la arquitectura civil de Gaudí.

Puerta de entrada y un detalle de la Casa de los Botines.

Un detalle de las vidrieras de "Bellesguard".

Un aspecto de la escalera interior.

Este singular edificio gaudiano, popularmente conocido por la denominación de la Pedrera, está situado en el Paseo de Gracia y fue construido por Gaudí en los años que van de 1906 a 1910.

Se trata de una de las obras más logradas de Gaudí. «La Pedrera —dice el arquitecto Salvador Tarragó— constituye la manifestación plástica y arquitectónica de su concepción de la naturaleza. Collins la define como «una montaña construida por la mano del hombre». En efecto, este colosal acantilado arquitec-

Fachada de la Casa de Figueras o "Bellesguard". ▷

Espejo del vestíbulo de entrada.

Ascensor y escalera de acceso a los pisos. ▷

Fachada posterior de la Casa Calvet.

Sofá y silla del despacho de la planta baja de la Casa Calvet, construidos en madera de roble.

Fragmento del sofá del despacho situado en la planta baja de la Casa Calvet.

tónico agujereado, con su enorme movimiento de fachada que asemeja un embravecido e inmovilizado mar de piedra, junto con «la pátina de la piedra, enriquecida con las plantas enredaderas y las flores de los balcones, que habrían dado un colorido constantemente variado a la casa», como había dicho el propio Gaudí, constituye la expresión más firme de la voluntad romántica y anticlásica de naturalizar la arquitectura.»

La Pedrera está considerado como el más original edificio de la arquitectura civil de Barcelona y es un punto de obligada cita para los turistas extranjeros que llegan a la ciudad. No sólo es interesante la fachada, sino también las habitaciones y los patios.

Fachada de la Casa Batlló.

*Pasillo del desván y patio interior de la
escalera de la Casa Batlló.*

Escalera de acceso al piso principal. ▷

Detalle del espinazo
del dragón, con
las escamas en la
vertiente de la
fachada del Paseo
de Gracia, con la
torre y la cruz de
cinco brazos.

Chimenea del piso
principal y un
aspecto del interior
de la Casa Batlló.

La escalera principal del Parc Güell.

Detalle escultórico de un elemento central de la escalera principal. ◇

El Parc Güell constituye una de las más sugestivas muestras de la originalidad arquitectónica de Gaudí.

Esta obra, una de las más importantes y populares de Gaudí, fue iniciada el año 1900 y concluida en 1914. Fue encargada al arquitecto como un proyecto de ciudad jardín para 60 casas por don Eusebio Güell. El Parc Güell ocupa el emplazamiento de la finca de Can Montaner de Dalt (Montaña Pelada).

Fueron construidos el muro de cerca, un par de pabellones de entrada, una escalera de grandes dimensiones y un templo de estilo dórico sobre el que se sustenta la gran plaza y los viaductos de los terraplenes de la carretera que da acceso al Parque.

En el Parque no hay más que dos viviendas. Una de ellas es el actual Museo Gaudí, obra de Francisco Berenguer, que fue la vivienda de Gaudí desde 1906 hasta el año de su muerte.

Según Salvador Tarragó, «Gaudí, con la creación del Parc Güell elaboró el único modelo urbanístico realmente nuevo de la época modernista. Para ello, desdobló la circulación peatonal de la rodada, dando recorridos distintos a cada una de ellas; a la peatonal en forma de escaleras y senderos con pendientes más acusadas que las del trazado de la carretera interior para los carruajes y coches que, como máximo, tenían una pendiente del 6 %. A veces, ambos recorridos se superponían y así, mientras

Entrada principal al Parc Güell.

Detalle de la cubierta del pabellón de la portería. Los elementos verticales son prefabricados y sirven de barandilla, mientras que el cupulín final es una chimenea.

Columnata inferior del Parc Güell.

los viaductos servían superiormente para el paso de los vehículos, por debajo, al estar construidos sobre columnas, se utilizaban como porches cubiertos que protegían del sol y de la lluvia durante una parte del camino de acceso a las parcelas». Si la obra realizada por Gaudí en el Parc Güell constituyó un gran logro arquitectónico, desde el punto de vista económico constituyó un fracaso, ya que, de las 60 parcelas previstas como emplazamiento de viviendas, no fueron vendidas más que dos. El Parc Güell fue jardín privado, hasta que los descendientes de don Eusebio Güell lo cedieron —por los años veinte— al Ayuntamiento de Barcelona para que lo destinase a parque público.

En la construcción de esta magna obra gaudiana fue empleado por primera vez en España el hormigón armado. El famoso banco ondulante de la plaza es de una extraordinaria belleza y en su realización fueron empleados azulejos multicolores que revisten las bóvedas tabicadas.
En la construcción de las bóvedas de la columnata, así como en el revestimiento del banco de la plaza, colaboró con Gaudí su discípulo el arquitecto José María Jujol, creador de los bellos *collages* —utilizando vidrios, botellas y restos de piezas de cerámica— anunciadores, con varios años de anticipación, de las creaciones de la pintura abstracta y surrealista.

Vista aérea del Parc Güell y dragón situado en la escalera principal.

Un aspecto del vistoso banco y silueta de la torre del pabellón izquierdo, en la entrada del Parc Güell.

Fragmentos de un banco del Parc Güell. ▷

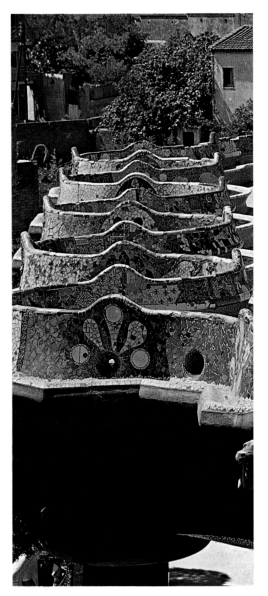

Plafón decorativo - obra de J. Jujol -
que está suspendido debajo de la plaza.

Paseo-viaducto inferior. Las bóvedas
son de ladrillos recubiertas de piedra.

Pese a ser una de las obras menos conocidas de Gaudí, la Escuela de la Sagrada Familia ofrece gran interés.

Un año le llevó a Gaudí —empezó las obras en 1909 y las remató en 1910— esta edificación, para lo cual construyó unos sencillos tabiques curvados y una cubierta ondulada, a base de ladrillos.

Cuando Le Corbusier contempló esta pequeña obra maestra de Gaudí en 1928 sintió una gran admiración y le inspiró para futuras creaciones suyas.

Las farolas de la Plaza Real fueron diseñadas por Gaudí en los comienzos de su

Escalera de la iglesia de la Colonia Güell.

Un aspecto del interior de la cripta del templo.

carrera. Son de hierro colado y fueron encargadas a Gaudí en 1878 por el Ayuntamiento de Barcelona para ser instaladas en la Plaza Real —al lado de las Ramblas—, obra construida por Daniel Francisco Molina Casamajó entre 1848 y 1859 en el antiguo emplazamiento del Convento de Capuchinos.

Siendo todavía estudiante de arquitec-

tura, Gaudí realizó, bajo las órdenes de José Fontseré Mestres, varios detalles de la Cascada Monumental y la balaustrada del monumento a Aribau del Parque de la Ciudadela.

Dentro de la obra arquitectónica de Gaudí, hay que destacar la construcción de la Colonia Güell.

La iglesia de la Colonia está situada al

Vista aérea de la Casa Milà.

Balcones de la fachada pricipal de La Pedrera. ▷

pie de un pequeño montículo y aparece rodeada por el bosque, en Santa Coloma de Cervelló, donde el conde Güell hizo construir una fábrica de tejidos y junto a ella una colonia obrera, de cuya urbanización parece ser que se hizo cargo Francisco Berenguer, colaborador de Gaudí. A éste se debe la realización del templo, cuya construcción se inició en 1898 y quedó paralizada en 1915.

La iglesia de la Colonia presenta bóvedas con tabiques de ladrillo. «Pero —apunta S. Tarragó— su aplicación no se ciñe al uso tradicional de estas estructuras elásticas, sino que, de-sarrollando increíblemente sus posibilidades, llega a inventar aplicaciones nuevas como éstas de los paraboloides hiperbólicos. Por ello, la cripta constituye un inventario completo de todas las estructuras que es dable obtener mediante el uso del ladrillo.»

En la realización de esta obra maestra, Gaudí consigue superar las coordenadas arquitectónicas del gótico y ofrecer una nueva solución estructural que abría vías hasta entonces inéditas en el campo de la arquitectura. A medida que pasa el tiempo crece la admiración universal hacia Gaudí y su obra.

*Grupo de chimeneas
y salidas a la azotea
de la Casa Milà.*

*Vista interior del patio
de la calle Provenza.*

*Chimeneas en la azotea
de la Casa Milà.* ▷

Protegemos el bosque; papel procedente de cultivos forestales controlados
Wir schützen den Wald. Papier aus kontrollierten Forsten.
We protect our forests. The paper used comes from controlled forestry plantations
Nous sauvegardons la forêt: papier provenant de cultures forestières controlées

Este libro se ha impreso en los talleres
FISA - ESCUDO DE ORO, S.A.
Palaudarias, 26 - Barcelona (España)